CABANES
ET ABRIS

Renée Kayser

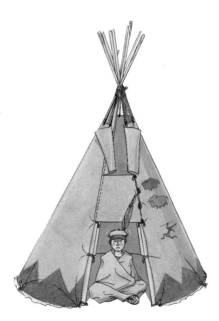

Illustrations de Pierre Ballouhey

MILAN
jeunesse

Comment utiliser ton carnet

Ton carnet a été conçu pour que tu puisses t'en servir directement dans la nature : grâce à son petit format, tu peux facilement le glisser dans ta poche ou ton sac à dos, et l'avoir ainsi toujours avec toi lors de tes balades-découvertes.

Ton carnet te présente d'abord tous les outils qui te seront utiles pour bâtir tes cabanes. Il t'indique aussi la façon de concevoir tes cabanes, comment choisir le meilleur emplacement et sélectionner les matériaux à utiliser.

Ce que tu te prépares à bâtir, c'est ta première maison. Tu en as très envie. Tu espères avoir la force et la capacité de mener ton chantier jusqu'au bout. Tu sens que si tu y arrives, tu y seras chez toi. C'est là que tu viendras quand tu voudras rester seul un moment. C'est là que tu passeras du temps à regarder vivre la nature. C'est là aussi que tu inviteras tes copains à jouer.

● un **texte général** qui te présente cette cabane.

● Des **indications**, numérotées lorsque cela est nécessaire, te donnent la marche à suivre.

Sommaire

Page 38, un index te permettra de retrouver rapidement l'abri ou la cabane de ton choix ainsi que de cocher au fur et à mesure de tes réalisations.

Chaque double page te propose ensuite
un ou plusieurs abris ou cabanes à réaliser
dans la nature.

Pour chaque construction, tu trouveras :

● le **nom** de la cabane ou de l'abri à réaliser
qui est aussi répertorié dans l'index de la
page 38 ;

● Des **gros plans** sur des points
délicats à réaliser te montrent
comment procéder.

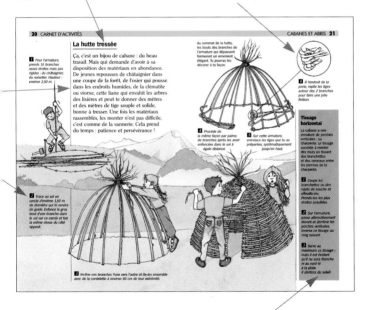

La hutte tressée

Ça, c'est un bijou de cabane : du beau travail. Mais qui demande d'avoir à sa disposition des matériaux en abondance. De jeunes repousses de châtaignier dans une coupe de la forêt, de l'osier qui pousse dans les endroits humides, de la clématite ou viorne, cette liane qui envahit les arbres des lisières et peut te donner des mètres et des mètres de tige souple et solide, bonne à tresser. Une fois les matériaux rassemblés, les monter n'est pas difficile, c'est comme de la vannerie. Cela prend du temps : patience et persévérance !

1 Pour l'armature, prends 16 branches assez droites mais pas rigides : du châtaignier, du noisetier. Hauteur : environ 2,50 m.

2 Trace au sol un cercle d'environ 1,50 m de diamètre qui te servira de guide. Enfonce le gros bout d'une branche dans le sol sur ce cercle et fais la même chose du côté opposé.

3 Incline ces branches l'une vers l'autre et lie-les ensemble avec la cordelette à environ 50 cm de leur extrémité.

4 Procède de la même façon par paires de branches après les avoir enfoncées dans le sol à égale distance.

Au sommet de la hutte, les bouts des branches de l'armature qui dépassent formeront un ornement élégant. Tu pourras les décorer à ta façon.

5 Sur cette armature, entrelace les tiges que tu as préparées, systématiquement jusqu'en haut.

6 À l'endroit de la porte, replie les tiges autour des 2 branches pour faire une jolie finition.

Tissage horizontal

La cabane a une armature de perches verticales : sa charpente. Le tissage consiste à monter des murs en tissant des branchettes et des rameaux entre les perches de la charpente.

1 Coupe les branchettes ou des rejets de souche et effeuille-les. Prends-les plus droites possibles.

2 Sur l'armature, passe alternativement devant et derrière les perches verticales. Inverse ce tissage au rang suivant.

3 Serre au maximum ce tissage : mais il est évident qu'il ne sera étanche ni au vent ni à la pluie. Il abritera du soleil.

● Des **encadrés** t'apportent des informations complémentaires :
amarrer un mât, réaliser des bottes de végétaux, couvrir ta
cabane de différentes manières, apprendre à faire des nœuds,
et te rappellent les consignes de prudence à observer.

Imagine ta cabane

Tout petit, tu t'es caché sous la table. Tu as joué à t'installer dans un grand carton. Maintenant, tu es grand : tu rêves de construire. Alors, voici quelques modèles de vraies cabanes.
Tu as l'embarras du choix : des très faciles à faire tout seul ou des plus compliquées à faire à plusieurs, et peut-être avec l'aide de papa.

Les matériaux

Tu peux en apporter pour la construction, mais le mieux, c'est de les trouver sur place.

Le matériau de base, c'est bien sûr le bois. Tu trouveras des branches à terre après une coupe dans la forêt ; il suffira de les retailler. Mais si tu dois les prendre sur les arbres, attention ! Sois sûr que la branche coupée va vraiment te servir. Fais une coupe nette, sans laisser de chicot (pour la santé de l'arbre). Et naturellement, demande d'abord l'autorisation au propriétaire.

L'emplacement

N'installe pas ta cabane n'importe où. Choisis autant que possible un endroit sec et aplanis-le si nécessaire. Au bord d'un bois plutôt qu'en pleine forêt, à l'abri du grand vent et à proximité d'une rivière, c'est l'idéal. Et surtout, pense à l'orientation : face au soleil levant pour le matin, à l'ombre d'un arbre pour les heures chaudes.

Les outils

Parmi les outils de charpentier qui pourraient t'être nécessaires, voici les plus couramment employés. Tu n'as pas besoin de la panoplie du parfait bricoleur. Mais il te faut des outils de bonne qualité et prêts à l'usage.

scie pour 2 personnes

mètre de bois pliant

scie égoïne

couteau de poche.
Pour plus de sécurité, choi-sis-le avec une virole.

hache

tenailles

ciseau à bois

marteau

Cabanes modèles réduits

En prévision de tes constructions de l'été, tu peux t'entraîner en réalisant sur la table le modèle réduit de la cabane de tes rêves. Pour cela, tu peux utiliser des petits bouts de branches. Mais ce sera plus facile avec du matériel de maquettiste.
Si tu rencontres des difficultés, surmonte-les et ne t'inquiète pas. Les problèmes résolus en hiver te permettront d'aller plus vite l'été suivant.

Utiliser les outils

• La **scie égoïne**, pour le découpage et la finesse. À petites dents. Ne pas forcer. Tenir la scie bien droite, pour éviter la coupe de travers. Pour enclencher, tire vers toi d'un petit coup sec.

• La **scie à cadre**, pour scier les gros bouts de bois. Ses dents « à bois vert » évacuent bien la sciure. Peut s'utiliser à 2, mais toujours sans forcer.

• La **hache**
Deux conseils : bien tenir sa hache ; ébrancher dans le bon sens.

• Le **marteau**
Mieux vaut le marteau en fer que le maillet de bois.

Piquets fourchus

Choisis un bois solide : chêne, châtaignier, noisetier, acacia...
Il faut que le piquet soit droit, mais aussi qu'il comporte un départ de branche qui deviendra la fourche.

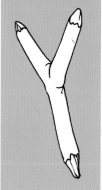

Les cabanes-bâches

Quoi de plus simple : une bâche et des piquets.
La bâche, c'est un carré de tissu ou de plastique, imperméable et solide, de 1,80 à 2 m de côté. Sur cette bâche, doivent être placés des œillets ou cousus des rubans d'attache, sur les 4 côtés et à égale distance.
Les piquets, c'est un jeu de les tailler à la bonne dimension.

Une tente

Plante 10 piquets de tente, tous les 50 cm, sur 2 lignes distantes de 1,20 m.
Attache la bâche aux piquets. Glisse la cordelette sous la bâche. Tends la cordelette au-dessus de 2 piquets fourchus, et fixe-la au sol.

En appui sur le mur

Fixe sur le mur 2 pitons à la distance voulue. Attache une ficelle entre les 2 pitons et accroche la bâche par des pinces à linge. Tends-la...

Accrochée à une branche

Attache une cordelette à une branche solide et fixe-la au sol, en biais. Dispose la bâche au-dessus en diagonale et fixe-la au sol. Noue les rubans à des piquets de tente plantés dans le sol.

Amarrer un mât

Des rafales de vent peuvent mettre en péril la cabane. Pour la consolider, rien de tel que de la fixer par des haubans attachés en haut des mâts avant et arrière. La fixation dans la terre se fait de la façon suivante :

1 *Réalise un croisillon à 3 branches. En leur milieu attache-les par un nœud de brêlage diagonal (voir p. 22).*

2 *Place ce croisillon dans un trou creusé dans le sol, devant la cabane.*

3 *Avec une corde, relie le croisillon au sommet du mât et à l'extrémité de la perche faîtière.*

4 *Remplis le trou de terre et tasse.*

La cabane d'affût

Elle est simple, elle est facile à déplacer. Mais ce n'est pas une cabane pour jouer, ni même pour se protéger de la pluie. C'est un abri d'observation, un camouflage. Il faut donc qu'il soit, dans la nature, le plus discret possible. Fais-le solide, mais laisse-le aux intempéries. Peu à peu, il se confondra dans le décor familier des animaux.

Surprise !

● Ton abri sera souvent inoccupé. D'autres que toi pourraient s'y installer en propriétaires. Sois donc discret en arrivant, pour voir s'échapper un petit lapin. Mais prudent aussi : avant d'entrer, frappe le sol avec ton bâton pour chasser les hôtes indésirables.

● Rester immobile, à l'affût pendant des heures, réclame un peu de confort. Prévois d'être au chaud et au sec, peut-être même de pouvoir t'allonger sur un tapis de sol ou un matelas pneumatique.

Un treillis

1 Prends 4 branches assez droites d'environ 1,20 m de longueur et 2 autres de 1,80 m. Pose par terre les 4 branches, distantes de 60 cm l'une de l'autre. Relie-les à leurs extrémités par les 2 branches longues. Noue.

2 Entre les branches, tends des fils de fer. Tu peux aussi recouvrir le treillis d'un grillage fin, qui facilitera le travail.

Bottes de végétaux

Pour couvrir les cabanes, la nature offre ses ressources : on peut couper de la bruyère, du genêt, des fougères, des joncs... ou bien se procurer de la paille longue.

Prends une poignée de ces végétaux. Égalise le bas des tiges, attache le bouquet en serrant très fort, tout en le gardant dans la main, avec du raphia ou de la ficelle.

Si le bouquet est petit (la main est petite), réunis et ficelle 2 ou 3 bouquets ensemble pour faire une botte. (Pour fixer les bottes sur ta cabane, voir p. 11.)

3 Sur cette armature, tresse des branches fines et souples ou des lianes de clématite. Remplis ensuite, avec les végétaux de l'endroit : fougères, rameaux feuillus, grandes herbes, etc.

Ce treillis, ou claie, est simplement posé en porte-à-faux sur un rocher ou un tronc d'arbre couché.

La cabane abri

Pour être un tout petit peu plus compliquée que la cabane d'affût, la cabane abri offre plus de confort et plus de visibilité.
Elle aussi se dissimule dans le décor naturel de la forêt. De plus, on peut s'y installer à plusieurs. On peut même commencer à l'agrémenter comme une vraie cabane, bien qu'elle soit' largement ouverte.

1 Repère 2 arbres aux troncs droits, distants d'environ 2 m. Fixe entre eux, à 1,60 m du sol et si possible à un embranchement, une perche droite et solide qui les reliera.

2 Fabrique un cadre en rondins d'une longueur égale à celle séparant les 2 arbres et d'une largeur de 1,50 m environ. Place ce cadre au sol.

3 Taille 5 perches qui s'appuieront obliquement, en haut sur la perche horizontale et en bas sur le côté extérieur du cadre. Fixe-les par des nœuds de cordelette. Maintiens l'écartement par 3 perches horizontales placées perpendiculairement.

Fixation des bottes

Commence toujours par le bas. Prends une pelote de ficelle. Attache le bout de la ficelle au premier montant vertical. Place une botte et enserre-la après avoir passé la ficelle derrière la traverse. Serre très fort (sinon en séchant, les végétaux tomberont). Place une nouvelle botte et continue ainsi jusqu'au dernier montant vertical. Noue.

Pour assurer l'étanchéité, il est nécessaire que les rangées de bottes se recouvrent en partie.

Pour le sommet du toit, sépare les bottes en 2 parties égales sans les délier. Place-les côte à côte à cheval sur la perche faîtière. Si besoin est (le vent peut souffler fort), attache ensemble sous la perche les 2 moitiés de la botte.

4 Pour les côtés, croise 2 perches verticales avec 3 perches horizontales.

5 Recouvre le toit et les murs de la cabane avec des bottes de bruyère, de joncs, de fougères, etc. (voir p. 9).

En hiver

Lorsque l'hiver sera venu et que la neige recouvrira ta cabane bien étanche, installe-toi. Fais un feu devant la « porte ». Et, en te chauffant, contemple le paysage blanc.

La cabane canadienne

Construite pour durer, la cabane canadienne résiste au vent, à la pluie et aux intempéries de l'hiver. Sans doute, l'année après sa construction, retrouveras-tu sa toiture un peu endommagée. Mais sa charpente sera restée intacte. En quelques heures, les bobos auront disparu et tu te glisseras à l'intérieur avec la joie de retrouver ton chez toi.

1 Coupe et taille 10 perches droites de 2 m, 2 perches fourchues de 2,25 m et une perche de 3 m.

2 Au sol, creuse 2 petits fossés parallèles distants de 2 m. Profondeur 20 cm, largeur 15 cm, longueur 2 m.

3 Au centre, entre les 2 fossés et à leurs extrémités, enfonce les 2 perches fourchues – les 2 mâts –.

4 Lie par-dessus la perche de 3 m.

5 Consolide chaque mât avec une perche oblique enfoncée dans le sol.

6 Lie sur la perche horizontale du faîtage, tous les 50 cm, 2 perches obliques opposées, coincées dans les fossés.

7 Sur cette charpente, fixe des branches à l'horizontale et recouvre de bottes de bruyères, joncs, etc. (voir p. 9 et 11).

8 Remplis les fossés de petites et grosses pierres et bouche avec la terre que tu avais retirée.

Briques de terre

Si tu construis ta cabane à proximité d'un endroit d'où l'on peut extraire de la terre argileuse, la couverture pourra être faite en « briques » de terre.

1 Trace dans la prairie, à la bêche, 2 coupes droites et parallèles distantes de 20 cm et profondes de 10 cm.

2 Entre ces 2 coupes, par un coup de bêche, prélève des mottes herbues à peu près égales qui auront une dimension de 20 x 10 cm.

3 Renforce la charpente et places-y ces « briques » immédiatement en rangées. Commence par le bas. La deuxième rangée sera placée en alternance sur la première.

4 Compte sur la pluie pour coller les briques entre elles.

La pyramide

Elle est toute simple, cette cabane. Il suffit de couper ou de scier des branches droites de différentes épaisseurs et de différentes longueurs ; et il ne faut pas être trop maladroit de ses mains pour faire des nœuds solides avec de la grosse ficelle ou de la cordelette. Voilà, c'est fait. Tu peux entrer... Tu es en cage. Ce n'est pas très amusant. Mais tu sais bien que des tas de possibilités existent pour garnir cette armature et te mettre à l'abri.

1 Prends 3 perches bien droites et rigides de 2,50 m de longueur. Assemble-les au sommet par un nœud de bigue (voir p. 17). Enfonce les perches dans la terre de telle façon qu'elles constituent les sommets d'un triangle équilatéral de 1,50 m de côté.

3 Sur cet échafaudage, place et noue des branches fines, assez droites, distantes, par exemple, de 25 cm. Elles sont de plus en plus courtes au fur et à mesure qu'on approche du sommet.

4 La porte : sur le côté voulu, place 2 branches droites de 90 cm. Enfonce-les dans la terre et attache-les au troisième échelon.
Les 2 autres échelons sont raccourcis et attachés de telle façon que l'emplacement de la porte reste ouvert.

5 Recouvre la pyramide de nattes de branchages.

Nattes de branchages

Prépare à terre une natte qu'il s'agira de fixer au mur de la cabane d'un seul morceau.

1 Prends la dimension exacte du mur à couvrir.

2 Coupe des branches souples et droites de la grosseur du pouce : des repousses de châtaignier ou de noisetier par exemple. Toutes d'égale longueur.

3 Prends une longueur de fil de fer très fin et replie-le en double.

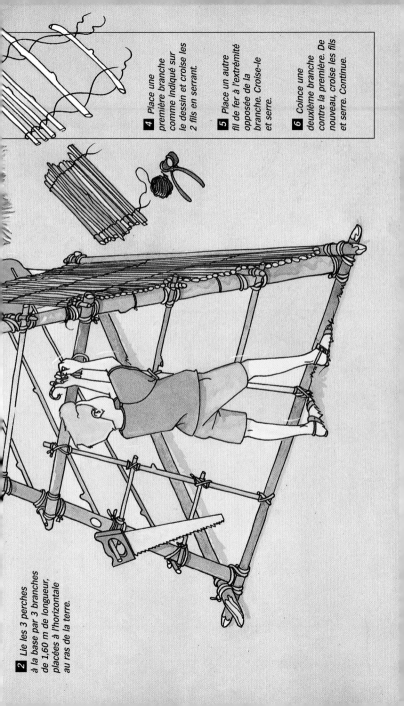

2 Lie les 3 perches à la base par 3 branches de 1,60 m de longueur, placées à l'horizontale au ras de la terre.

4 Place une première branche comme indiqué sur le dessin et croise les 2 fils en serrant.

5 Place un autre fil de fer à l'extrémité opposée de la branche. Croise-le et serre.

6 Coince une deuxième branche contre la première. De nouveau, croise les fils et serre. Continue.

Pour bâtir cette cabane, tu ne trouveras pas les matériaux dans la nature. Il faut te les procurer à la scierie. Les six chevrons de la charpente ont été découpés à la machine : ils ont une section carrée. Les « croûtes » sont de vraies planches, même celles qui ont encore de l'écorce.

Le pipocaki

Les huttes des Lapons, telles que tu les a vues sur des photos ou à la télévision, sont en principe en toile. Les Lapons étaient des nomades et avaient besoin de déplacer leurs tentes à la suite des troupeaux. Aujourd'hui, ils se construisent un habitat plus stable et plus solide, mais qui garde la même forme. C'est le pipocaki, construit en bois. En voici un modèle simplifié, pour une personne : elle ne pourrait pas abriter une famille de Lapons tout entière.

1 Trace un cercle de 1 m de diamètre. Sur ce cercle, à égale distance l'un de l'autre, creuse 6 trous de 30 à 40 cm de profondeur.

2 Assemble par le haut, 2 par 2, avec des nœuds de bigue, les 6 chevrons de 3 m que tu t'es procurés. Puis, de la même façon, assemble le tout.

3 Tu as placé ces chevrons dans les trous au fur et à mesure de leur assemblage. Maintenant cale-les avec des cailloux et de la terre.

4 Scie les planches de telle façon qu'elles prennent juste appui sur 2 chevrons, de bas en haut. Cloue ces planches sur les chevrons en tâchant d'éviter de laisser un jour entre elles : un léger recouvrement si possible.

5 Au sommet, place un capuchon imperméable. Tu peux le faire en toile ou en plastique. C'est plus joli en paille.

6 N'oublie pas de ménager une ouverture pour le passage. Tu y mettras, si tu veux, une porte en toile.

Les planches

Où trouver des planches pour ta cabane ?
À la scierie, les tombées et les croûtes ne manquent pas et sont souvent destinées à brûler. Un mot aimable et quelques explications au patron et elles seront à toi. Chez les marchands de matériaux, des planches (voliges) et des lames de parquet dépareillées sont souvent mises en paquet et soldées. Une bonne affaire.

Le nœud de bigue

Il te permet de lier 3 perches ensemble,

soit pour faire un tripode,

soit pour prolonger 2 perches.

L'armature

1 *Prends 10 perches de jeune châtaignier, longues d'environ 1,50 m. Amincis l'extrémité de chacune, pour pouvoir les assembler par la suite.*

Colle ensemble 2 extrémités amincies de perches et consolide l'attache par un nœud de brêlage long (voir p. 22). Cela donne une perche de 3 m.

La cabane du Sahel

Les habitants du Sahel vivent de l'élevage. Mais leurs troupeaux sont souvent en mouvement à la recherche de pâturages et de points d'eau. Les bergers doivent donc avoir des abris légers et démontables mais capables de résister au vent de sable.

2 *Trace au sol un cercle de 1,50 m de diamètre et creuse 10 trous à égale distance les uns des autres. Enfonce dans un trou le bout de la perche allongée. Courbe-la doucement et enfonce l'autre bout dans le trou opposé. Place les autres perches de la même façon.*

3 *Attache de nouvelles perches de châtaignier, horizontalement, autour de l'armature pour la consolider : une, au milieu, deux vers le haut.*

Ils ont inventé une forme de cabane ronde,
avec une armature souple recouverte
de toile.
Cette cabane n'est pas plus compliquée
que les autres. Mais elle demande un petit
savoir-faire de couturier.

La toile

1 Fabrique dans un tissu, un vieux drap par exemple,
les 8 trapèzes nécessaires pour constituer les « murs »
et les 8 triangles pour constituer le « toit ».

2 Couds ensemble les 8 triangles et de la même façon
les 8 trapèzes. Assemble les 2 parties en faisant correspondre
les coutures.

3 Dispose cette couverture sur l'armature et fixe-la par des
points de ficelle fine. N'oublie pas de laisser libre un pan de la
couverture que tu pourras replier et qui servira de porte.

La hutte tressée

1 *Pour l'armature, prends 16 branches assez droites mais pas rigides : du châtaignier, du noisetier. Hauteur : environ 2,50 m.*

Ça, c'est un bijou de cabane : du beau travail. Mais qui demande d'avoir à sa disposition des matériaux en abondance. De jeunes repousses de châtaignier dans une coupe de la forêt, de l'osier qui pousse dans les endroits humides, de la clématite ou viorne, cette liane qui envahit les arbres des lisières et peut te donner des mètres et des mètres de tige souple et solide, bonne à tresser. Une fois les matériaux rassemblés, les monter n'est pas difficile, c'est comme de la vannerie. Cela prend du temps : patience et persévérance !

2 *Trace au sol un cercle d'environ 1,50 m de diamètre qui te servira de guide. Enfonce le gros bout d'une branche dans le sol sur ce cercle et fais la même chose du côté opposé.*

3 *Incline ces branches l'une vers l'autre et lie-les ensemble avec de la cordelette à environ 50 cm de leur extrémité.*

Au sommet de la hutte, les bouts des branches de l'armature qui dépassent formeront un ornement élégant. Tu pourras les décorer à ta façon.

6 *À l'endroit de la porte, replie les tiges autour des 2 branches pour faire une jolie finition.*

4 *Procède de la même façon par paires de branches après les avoir enfoncées dans le sol à égale distance.*

5 *Sur cette armature, entrelace les tiges que tu as préparées, systématiquement jusqu'en haut.*

Tissage horizontal

La cabane a une armature de perches verticales : sa charpente. Le tissage consiste à monter des murs en tissant des branchettes et des rameaux entre les perches de la charpente.

1 Coupe les branchettes ou des rejets de souche et effeuille-les. Prends-les les plus droites possibles.

2 Sur l'armature, passe alternativement devant et derrière les perches verticales. Inverse ce tissage au rang suivant.

3 Serre au maximum ce tissage ; mais il est évident qu'il ne sera étanche ni au vent ni à la pluie. Il abritera du soleil.

Les rondins

L'élément de base est un rondin d'environ 2 cm de diamètre.

Il en faut :

22 de 1 m
22 de 90 cm
22 de 80 cm

Les nœuds de brêlage

Diagonal : pour assembler 2 éléments en angle ouvert.

Carré : pour assembler 2 éléments à angle droit.

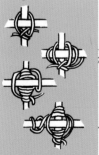

Long : pour assembler 2 éléments bout à bout.

La hutte bantoue

C'est vraiment comme un jeu de construction. Il s'agit de rassembler des rondins de la même grosseur, qu'on peut couper dans la nature ou, plus facilement, se procurer à la scierie. Il en faut beaucoup ! Aussitôt que les rondins seront coupés aux bonnes dimensions, ce sera un jeu d'enfant que de les assembler par éléments séparés ; des rectangles que l'on réunira par la suite.

Les rectangles

Assemble 11 rectangles un par un : 2 rondins de 1 m (longueur), 2 rondins de 80 cm (hauteur) et 2 rondins en oblique à l'intérieur pour consolider le tout. Nœuds de brêlage carré et diagonal avec de la ficelle.

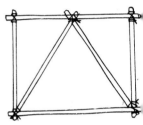

Le montage

Avec 7 rectangles, construis une sorte de barrière octogonale en les dressant sur le sol. Le huitième rectangle manque : c'est l'ouverture.

Les 4 autres rectangles sont attachés au-dessus de la « barrière », les 2 premiers de part et d'autre de l'ouverture, les 2 autres sur le côté opposé. Relève-les à l'oblique et attache-les ensemble.

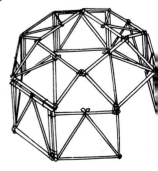

Recouvrir la charpente

La charpente est faite. Pour qu'elle devienne une cabane, il faut encore l'habiller.
À toi de choisir le matériau : des végétaux que tu tisseras, de la brande que tu attacheras,
bien serrée, ou, pourquoi pas, de la toile.

Nattes de brande

On appelle « brande » l'ensemble des plantes de sous-bois comme la bruyère, l'ajonc, le genêt.

Travaille si possible sur une table.

Dispose 3 rangées de ficelle mise à double. Place les branches tête-bêche de telle façon que le bas des tiges soit égalisé et que la largeur de la natte ne varie pas.

Place un premier paquet de brande comme indiqué sur le dessin et noue en serrant très fort. Continue de la même façon avec les paquets préparés à l'avance.

La cabane lacustre

Que ce soit au bord d'un lac, ou d'un ruisseau, ou même d'une rivière si le courant n'est pas trop fort, tu peux installer une cabane sur l'eau. Elle te permettra des observations originales et te donnera un abri si tu veux pêcher tranquillement.

Attention !

Jouer sur l'eau est amusant mais ce n'est pas sans danger. Que se passerait-il si, plouf, tu tombais dans l'eau ? Assure-toi que la rivière n'est pas profonde et que le courant n'est pas fort.

1 À 1 m du bord environ, plante dans la terre 4 piquets formant un rectangle de 1,50 m x 1 m.

2 Place contre chacun des 2 piquets de la largeur un tronc d'arbre ou un chevron de scierie de 15 cm de diamètre et d'au moins 4 m de longueur.

3 Pour stabiliser ces 2 troncs parallèles, mets entre les piquets un tas de bûches de 2 m de long, dépassant de chaque côté.

4 À partir des piquets, cloue sur les troncs des planches côte à côte, jusqu'à 25 cm du bout des troncs.

Choisis un endroit où la berge est un peu surélevée et horizontale. Assure-toi que le niveau de l'eau ne risque pas de varier brutalement.

5 *Au bout du plancher, plante dans l'eau 2 piquets qui seront solidement attachés aux troncs et augmenteront la stabilité.*

6 *Sur ce plancher, fixe une armature simple, représentant par exemple un cube. Une toile te mettra à l'abri du soleil.*

Variante : la cabane-pont

Sur un petit ruisseau, il est possible d'appuyer les 2 troncs ou chevrons sur chacune des berges. Le plancher constitue un véritable pont, mais il n'est pas fait pour la circulation. Plante ta cabane au beau milieu.

La cabane-bambou

1 *Pour une cabane carrée, trace au sol un carré de 2 m de côté et creuse sur cette trace un petit fossé.*

2 *Prends 5 bambous d'un bon diamètre et de 2 m de long. Attache-les 2 par 2 à 20 cm de leur sommet et place-les aux 2 extrémités du carré. Stabilise-les immédiatement en fixant le bambou de faîtage sur la fourche des deux montants.*

Le bambou est le matériau de base de cette cabane. Il est léger, facile à transporter et à utiliser. Il est solide et dur : il faut une scie pour le couper. Mais où trouver des bambous ? Ce n'est pas ce qui manque, mais ils ne sont pas spontanés.

Ils ont été plantés. Cependant, ils prolifèrent à tel point qu'il faut les éclaircir chaque année : ils repoussent tous les printemps. Attention : ne pas confondre bambou et roseau. Le roseau plie (« et ne rompt pas ») tandis que le bambou est rigide.

3 *Prends 4 autres bambous, éventuellement d'un diamètre plus petit, pour former les montants intermédiaires liés par 2 au faîtage.*

4 *Sur cette armature, place des bambous ou des roseaux côte à côte en les croisant au sommet pour les appuyer au bambou de faîtage. Si on laisse leur feuillage aux roseaux, la couverture sera plus étanche.*

5 *Comble les 2 petites tranchées.*

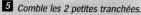

Roseaux refendus

Pour utiliser les roseaux dans la couverture de la cabane, il convient de les refendre : c'est-à-dire de les couper en 2 dans le sens de la longueur.
Pour cela, prends des roseaux verts, poussés dans l'année : ils sont tendres et se coupent facilement. Les roseaux secs, jaunes, sont beaucoup plus difficiles à fendre. Fends avec un couteau, muni d'une virole, en commençant par la base.

Tissage de roseaux

Tu peux tisser les roseaux refendus en les passant alternativement sur et sous les perches verticales de la charpente. Ou bien en les fixant, avec du fil de fer fin, côte à côte. Les roseaux doivent être coupés à la longueur voulue avant usage. Attention : prends des gants, car les arêtes des roseaux refendus sont coupantes.

Ce tissage peut servir à la couverture de nombreuses cabanes.

1 • Les fondations

Trace à l'endroit choisi un cercle de 1,50 m de diamètre. Un pieu et une ficelle te permettront de tracer un cercle parfait. À l'intérieur de celui-ci, sur 30 cm environ, piétine pour mettre à plat.

L'igloo

Monter, descendre, monter, descendre... Au bout d'un certain temps, la passion du ski te quitte. Ce ne sont pas les autres activités hivernales qui manquent. On peut tout simplement se promener à pied, ou en raquettes, dans le paysage enneigé si beau. Mais pourquoi pas construire ? L'amateur de cabanes n'est pas pris au dépourvu. Il sait que les esquimaux ont une méthode très simple pour se mettre à l'abri dans la neige : ils bâtissent un igloo. Une recommandation : ne commence un igloo que si le tapis de neige est assez épais et si cette neige est un peu lourde, collante.

Le moule

C'est une caissette sans fond dont les 2 côtés longs sont légèrement inclinés vers l'intérieur. Il possède un petit couvercle indépendant pour tasser la neige et 2 taquets pour porter le moule plein.

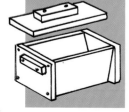

2 • Les murs

Si l'état de la neige est très favorable, tu peux tailler des briques à la pelle. En général, il vaudra mieux les mouler. Le maçon se met à l'intérieur du cercle ; les briquetiers lui fournissent le matériau. Le maçon pose une première rangée sur les fondations, en lissant les joints. Il aligne les rangées suivantes en les inclinant vers l'intérieur.

3 • La clé de voûte

Lorsque les murs sont montés, le maçon pose la clé de voûte : une dernière brique, qui est ronde. Heureusement, il a pensé à laisser une porte : il peut sortir. Il pourrait aussi en creuser une depuis l'intérieur.

4 • Finitions

Recouvre l'ensemble d'une petite couche de neige et lisse pour bien obturer. Mais prévois aussi 2 trous pour l'aération : un en bas qui amènera de l'air, un en haut qui rejettera l'air réchauffé. Sur le sol, étale des branchettes de sapin sur lesquelles tu installeras le tapis de sol.

1 *Trace par terre, sur un terrain plat, un rectangle de 3 x 5 m. Sur ce tracé, creuse une tranchée de fondations de 20 cm de profondeur.*

L'isba

On en vend de toutes faites dans le commerce, des « maisons d'enfant »... mais c'est quand même mieux de bâtir la sienne soi-même. Soi-même, mais à plusieurs, et sans doute avec l'aide d'un adulte. Surtout que le bois, il faut l'acheter. Après cette dépense, on est obligé de terminer le chantier. Car c'est un vrai chantier : il faut prévoir qu'il durera plusieurs jours. À la fin, quelle joie ! On s'est construit une vraie résidence secondaire, ce n'est plus une cabane. Et on la retrouvera l'année prochaine.

2 *Au milieu des 2 largeurs, plante 2 solides poteaux fourchus d'environ 2 m de haut. Comme tu ne pourras pas les enfoncer en tapant dessus, fais des trous et cale-les avec des pierres.*

3 *Sur les 2 longueurs, dispose verticalement et cale dans la tranchée des rondins identiques de 0,75 m de haut. Aux 2 bouts de la rangée, un demi-rondin (scié en long par le milieu). Au-dessus de la rangée, cloue un demi-rondin.*

4 *Entre les 2 poteaux, place un beau rondin : la faîtière. Puis cloue des rondins parallèlement entre la faîtière et le petit mur. Ils se caleront aux 2 extrémités grâce à une taille à mi-bois.*

Assemblage à mi-bois

Il s'agit d'assembler 2 rondins ou des chevrons en les fixant de façon rigide.

1 Trace sur le rondin 1 la mesure de l'incision correspondant au diamètre du rondin 2.

2 Sur ces marques scie le rondin 1 jusqu'à la moitié de son épaisseur. Fais sauter au ciseau la partie sciée.

3 Procède de la même façon sur le rondin 2.

4 Ajuste les deux encoches. Fais tenir ensemble les deux rondins par des pointes, un boulon, une cheville de bois.

5 Pour les façades avant et arrière, scie et place des rondins de hauteurs progressives, en ménageant une porte et une fenêtre à l'avant.

6 Le toit : au-dessus des rondins, cloue de l'écorce de bouleau et place quelques lattes en travers. Tu peux alors recouvrir de terre et même semer dans la terre, à la diable, des graines de fleurs sauvages mélangées à des iris.

Étanchéité

Pour rendre le mur de rondins étanche au vent et à la pluie, tu peux utiliser les matériaux de la forêt : écorce de bouleau ou mousse, par exemple. Ramasse de la mousse sèche et par petites touffes, fixe-la dans les fentes. L'humidité la fera gonfler et assurera l'étanchéité.
Ce travail doit être fait de l'intérieur vers l'extérieur de la cabane.

La cabane dans l'arbre

Sécurité

- Ne pas s'installer trop haut.
- Choisir des arbres robustes et des branches vivantes.
- S'installer en sécurité pour travailler.
- Vérifier au fur et à mesure la solidité des fixations.

Construire une cabane juchée dans un arbre, cela demande une recherche et une attention particulières. On ne peut pas la faire n'importe comment. Il y a deux possibilités : s'installer dans un grand arbre pourvu de plusieurs grosses branches charpentières bien placées, ou bien s'installer à cheval sur deux ou trois arbres très proches. La cabane dans l'arbre, c'est la promesse d'heures tranquilles à l'ombre du feuillage pour écouter les oiseaux, pour lire, pour rêver...

Fabrique ton échelle

1 Choisis deux perches solides de 2,50 m de longueur pour les montants.

2 Les barreaux devront mesurer 60 cm. Place-les tous les 30 cm.

3 Pour fixer les barreaux sur les montants, travaille à mi-bois (voir p. 31). Assemble barreaux et montants par leurs encoches avec des pointes.

4 Taille toutes les encoches dans les montants, en face les unes des autres pour que les barreaux soient horizontaux. Fixe les barreaux des 2 extrémités pour donner de la solidité à l'ouvrage ; puis les barreaux intermédiaires.

1 Appuie une échelle sur le tronc d'un des arbres. Le plus délicat est de fixer les branches droites et très solides en triangle : elles constitueront le support de la cabane. Commence par une, appuyée sur 2 fourches d'arbres.

2 Place une autre branche, appuyée sur une autre fourche : lie-la à la première par un nœud de brêlage diagonal (voir p. 22). Procède de la même façon pour la troisième. Attention : il faut que ce triangle soit à peu près à l'horizontale.

4 *À 80 cm ou 1 m du plancher, cloue une barrière de protection en branches ou en planches. Entre cette barrière et le plancher, augmente la protection en ajoutant un lattis de branches ou de planches.*

Avec une corde

Pas toujours facile de trouver sur un arbre, ou sur des arbres voisins, les fourches nécessaires pour fixer le plancher de la cabane à l'horizontale. Si besoin est, on peut donc s'aider de cordes pour y arriver.

La corde est suspendue à la branche trop haut placée et soutient le rondin des fondations pour le maintenir à la hauteur voulue.

3 *Place le plancher. Cloue des planches ou des lames de parquet sur le support, en les alignant à partir du côté le plus difficile à atteindre. Sur l'autre côté, scie ce qui dépasse une fois que la planche est clouée.*

La cabane souterraine

La principale difficulté, c'est de trouver un creux naturel, quitte à le rectifier à la pelle pour lui donner la forme voulue. Il faut que la terre soit assez argileuse pour ne pas s'effondrer, qu'elle ne soit pas trop humide. Un petit nettoyage s'imposera : arracher les ronces, balayer les feuilles mortes. Mais ne pas toucher aux racines des arbres, qui maintiennent la terre.

1 *En travers du fossé, plante 3 ou 4 branches fourchues : elles doivent être bien enfoncées dans le sol, mais les fourches devront être à la même hauteur. Cale-les avec des pierres.*

2 *Habille la cloison avec un treillis de branchettes verticales et horizontales. Fais, à la distance voulue, une deuxième cloison semblable. N'oublie pas de ménager une porte dans l'une des cloisons, en installant entre 2 branches fourchues une « entretoise ».*

3 Place en travers du fossé 2 perches reposant sur les bords entaillés. Fixe sur les perches horizontales un toit fait comme les cloisons, imperméabilisé par des fougères.

Les bardeaux

Pour couvrir les toits, on utilisait autrefois à la montagne des bardeaux. Ce sont de petites planches clouées sur la charpente et utilisées comme des tuiles plates. Elles sont disposées côte à côte et se chevauchent largement. Pour la cabane, un toit de bardeaux est efficace et décoratif. Mais il faut beaucoup de patience pour scier des centaines de planchettes. Il faut aussi prévoir une charpente assez forte pour porter un toit très lourd (surtout quand il pleut).

Le tipi

Que ce soit pour « jouer aux Indiens » ou simplement pour le plaisir de te faire un abri, le tipi peut être fait de différentes façons. Mais il garde toujours sa forme conique. Celui que nous te proposons a une armature faite avec 8 perches. Mais on peut le faire aussi avec une seule perche, et même sans perche.

1 *Trace au sol un cercle de 1,60 m environ de diamètre. Sur ce cercle plante 8 perches à égale distance de 3 m de hauteur que tu reliras au sommet par un nœud de bigue (voir p. 17).*

2 *Habille cette armature avec de la toile.*

Série de types... de tipis

● À 10 perches : assemble d'abord par brêlage les 3 perches principales, puis ajoute les autres en faisceau, à intervalles réguliers.

● À perche centrale.

● À perche latérale.

3 *Tends la toile et fixe-la au sol avec des piquets. Creuse une rigole (pour la pluie) autour du tipi.*

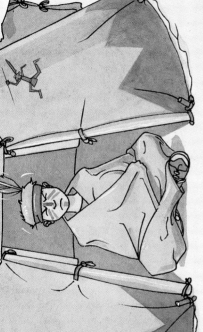

fourche d'arbre : une seule perche suffit, si tu l'appuies, même sans l'attacher, à la fourche d'une grosse branche.

● Sans perche et avec corde : c'est possible, à condition qu'il y ait un arbre à proximité. Il faut que la corde soit bien tendue et solidement attachée.

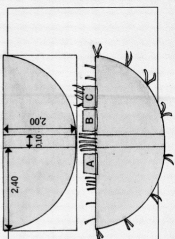

Couvrir ton tipi

Mesures pour un tipi où se tenir debout.

Coupe dans la toile souple 2 morceaux de 2 x 2,40 m. Couds-les ensemble en recouvrant l'un par l'autre sur 10 cm. Fais 2 coutures de part et d'autre de ces 10 cm, sans tendre : une perche pourra passer dans cet espace. Coupe en quarts de cercle. Dans les chutes, coupe 3 pièces de 40 x 25 cm (A, B, C) ; couds-les en laissant au centre un espace de 60 cm. Fixe 4 morceaux de ganse sur le bord de la pièce C. Plie le tissu en deux.

En face de la pièce C, couds de nouveau 4 morceaux de ganse à 25 cm du bord vers l'extérieur (pour fermer la porte). Glisse 8 anneaux dans des morceaux repliés de ganse et couds-les de A à B, tous les 10 cm. Le bas du tipi étant fixé par les piquets, relève la toile en serrant une corde passée dans les anneaux. Lie celle-ci à la perche dans la toile ou suspends-la à une branche.

Index

Lorsque tu as réalisé une cabane ou un abri, coche le ☐ correspondant à son nom.

Activités et identification, la nature est pleine d'idées, et tes carnets pleins d'inventions.

Dans la même collection

© 1995 Éditions MILAN pour la première édition
© 2005 Éditions MILAN pour la présente édition
300, rue Léon-Joulin, 31101 Toulouse Cedex 9, France.
Droits de traduction et de reproduction réservés pour tous les pays.
Toute reproduction, même partielle, de cet ouvrage est interdite.
Une copie ou reproduction par quelque procédé que ce soit, photographie, microfilm,
bande magnétique, disque ou autre, constitue une contrefaçon passible des peines prévues
par la loi du 11 mars 1957 sur la protection des droits d'auteur.
Loi 49.956 du 16.07.1949
ISBN : 2.7459.1602.5
Dépôt légal : 1er trimestre 2005
Imprimé en Italie par Canale